그 마음을 원해요

《일러두기》

1. 작가 특유의 문체를 지키기 위한 비문이 포함되어 있습니다.
2. 특정 장소나 인물 등의 지칭은 프라이버시 보호를 위해 변경되었습니다.
3. 성경 인용 시, Douay-Rheims Bible(성 예로니모께서 번역하신 라틴어 불가타(Vulgata) 성경의 영어판)을 한국어로 직접 번역하여 인용하거나, 복음서를 최초로 번역하신 한기근 바오로 신부의 〈신약성서〉본을 인용하였고, 한국천주교중앙협의회의 〈성경〉 등을 참고하였습니다.

그 마음을 원해요

지은이 한사랑

발 행 2023년 12월 29일
펴낸이 한건희
펴낸곳 주식회사 부크크
출판사등록 2014.07.15.(제2014-16호)
주 소 서울특별시 금천구 가산디지털1로 119 SK트윈타워 A동 305호
전 화 1670-8316
이메일 info@bookk.co.kr

ISBN 979-11-410-6264-4

* 이 책은 네이버에서 제공한 나눔 글꼴이 적용되어 있습니다.

www.bookk.co.kr

그 마음을 원해요

빛의책 시리즈 2 - 묵상 시·산문집

한사랑 지음

BOOKK

헌사

✚

성부 성자 성령의 삼위일체 하느님과

나를 사랑해 준 모든 천상 식구,

그리고 늘 사랑을 사모할 모든 날의 나에게

차례

제1부 지금 이 순간

제2부 희망과 신뢰로서

제3부 생의 의미

제1부

지금 이 순간

성령에의 속삭임

성령이 나의 everlasting best friend가 되어 주었으면 해.

언제까지고 나의 가장 친한 친구가 되어주었으면 해.

나는 결코 어른이 되길 원하지 않고,

영원히 괴짜스럽고 명랑하고 장난기 가득한 어린 꼬맹이이길 바라.

나의 명랑함과 사차원적인 쾌활함을 잃지 않으며 살아가길 바라.

나의 흰 비둘기야.

많은 성사聖事적 선물을 가득 싸 들고 내게 날아와 줘.

내 안에 둥지를 틀고,

나 자신이 되어 줘.

●

언제나 기뻐하고 언제나 기도하며 모든 일에 감사하자.

행복하고 즐겁고 쾌활하게 살아가자.

하자 없는 성모 성심

…티 없는, 맑은, (하느님의) 사랑받는, 고귀한 심장…

어머니의 성심.

그런 심장을 가질 수 있는 건 구세주의 어머니,
만인의 어머니뿐이야….

견진성사 때는 그냥 성모님의 티 없으신 성심 안에 숨어서
성모 성심의 세포 중의 하나인 척, 일부인 척, 성모님인 척하면서 성령 강림 받아야겠다.
그거면 충분하지 않을까.

만일 성령께서 내 안에 오신 후에
"이런, 마리아인 줄 알았더니 아니었구나!" 하시면
나는 박수치고 웃으면서
"예, 성령님, 당신이 속으셨어요."하고 좋아할 것이다.
그럼 성령님은 "일단 와버렸으니 어쩔 수 없구나. 여기에 자리를 틀어야겠다." 하시고는 내 안에서 사실 것이다.
어차피 다 알면서 들어주시는 하느님이시니, 나도 모른 척 수를 써보는 것이다.
그렇게 강제로 내 친구로 만들어서 영원히 같이 살아야겠다.

성 가브리엘 포센티

…겨우 5년 정도 되는 수도 생활 후 생을 마감한 성 가브리엘 포센티. 성모 통고의 성 가브리엘…. 하지만 역시 하느님의 손안에서 성인이 되기에 충분한 시간이었다.

그는 어떤 분일까?
젊은이, 학생, 그리고 신학생의 수호성인이신 분.

슬픔의 성모의 성 가브리엘이라니, 어쩜 이름도 이렇게 운명적일까. 너무도 이름에 맞갖게 살다 가신 분…….

잘은 모르지만 호감이 간다.
신학생들과 신부님들을 위해 이분한테 기도해 볼까?

인자한 하느님 사랑에의 봉헌

봉헌문을 작성하고 싶은데, 무슨 봉헌인지, 뭐부터 써야 할지 모르겠다.

아까 작은 데레사의 자서전을 볼 때만 해도 생각이 났었는데 까먹었다.

사랑. 사랑.
아버지. 성령께서 오시면
저는 성령을 언제나 제 안에 잡아두고 같이 살 거예요.
성령께서 제 영혼에도 아기 예수를 자라나게 해 주시겠지요?

저는 자주 이런 상상을 해요.
아기 예수. 소년 예수가 거대한 독수리 위에 타고 있는데,
낮게, 아주 천천히 제 앞에서 날아가고 있어요.
그분은 저를 돌아보시면서 말씀하세요.

"죄인아, 나는 너의 모든 죄를 사해 주었고,
네 영혼에 사랑의 씨를 심어 주었다.
그랬더니 너는 지극히 거룩하고 온전한 사랑으로
내게 보답하고픈
티 없이 순수한 원願을 내게 보여주었다.
그래서 나는 너에게 기회를 주겠다.

잡아라.

그러면 이 독수리를 타고

내가 너를 완전한 사랑의 정상으로 데려가 주겠다."

그러면 모든 것을 용서받고, 위대한 자비와 사랑의 권유를 받은 은혜로운 나는 눈물을 터뜨리면서

전속력으로 그에게 달려가, 소년 예수님의 팔에 나를 던지다시피 달려들어 안기는 거예요.

아버지.

사랑해요.

이게 내 봉헌이에요.

자비로운 당신 사랑에의

당신의 넘치는 자식 사랑

인자하신 하느님 사랑에의 봉헌이에요.

성령을 기다림

성령이여, 어서 오소서.

당신 배우자가 될 제 영혼에

선택적 은총이 아닌 당신의 모든 은총과 함께 성령 그 자체로 진리의 완전한 사랑으로 제게 와 주소서.

티 없이 깨끗하신 성모 성심의 힘 있는 전구를 통하여 어서 오소서.

23일, 그날이 저의 성령 강림 대축일Pentecost이며

제 Marriage, 저와 성령님의 Matrimony가 될 것입니다.

●

착하다는 게 무엇인지 모르겠다.

상냥하다는 건 하느님의 자녀란 누구나 그런 것인가…

예수와 마리아의 심장

예수님의 심장이라…

이 세상에서 걸어 다니고 옮겨 다니고

그분 얼굴을 통해 보고 느끼고 맛보고 경험한 모든 것들에 대한 사랑의 움직임과 요동이 그 심장에 있었어.

그 어머니의 심장도 역시 걸어 다니고 옮겨 다니고

하느님의 뜻의 심장으로서 승천 날까지 이 세상에서 고동했어.

하느님의 심장과 그분의 티 없는 어머니의 심장이 이 세상에 있었고

이제는 영적으로 우리에게 선물처럼 주어지고 있어.

예수의 성심

아아, 예수님의 심장은 참 좋은 것 같아.

그건 하느님의 심장이니까.

그분의 심장을 가지게 된다면 그분이 우리를 얼마나 사랑하는지

그 모든 고통과 따뜻한 혈액과 그 생명력을 통해 느낄 수 있겠지.

성모님은 하느님이 아니시지만 예수님은 하느님이시니까,

예수의 심장은 하느님의 하느님으로서의 사랑을 담고 있으니까.

그분의 심장은 우리로 하여금 그분의 사랑을 알게 해…

사랑의 심장이 좋아요. 그 심장을 원해요.

그 심장은 원해도 될 것 같아요.

예수님의 터질 듯이 사랑 가득한 그 심장을 원해요.

무無의 영혼

점점 비어버리는 점점 아무것도 아니게 되는

이 무의 영혼으로 어서 오소서, 주여.

오셔서 이제 이 아무것도 아닌 이 영혼의 모든 것을

주의 사랑으로 채우소서.

다른 이의 덕을 통한 배움

기분이 조금 다운되거나 좀 피로감을 느낀다고 곧바로 겉으로 그게 죄다 티 나는 나보다 다른 이들이 훨씬 더 덕이 많다.

그들은 자신의 피로와 고통을 숨길 줄 알고 다른 이들에겐 밝게 웃어줄 줄 아니까. 나보다 훨씬 나은 사람들이다.

오늘도 얻은 게 많아서 다행이다.

이런 깨달음과 이런 나의 나약함들이, 조금만 틈나도 제멋대로 일어나는 교만을 짓밟아 주는 값진 기억들이 되어 주어서 다행이다.

살아서 잘해드려야지

죽고 나서야 죄송하다고 울기는 죽어도 싫어.
살아서 잘해드리고 살아있을 때부터 티 없이 사랑해 드릴 거야.
그러려고 계속 노력할 거야.

죽어서 다 버리고 떠나야 할 이 세상 몸과 재물들이 다 무슨 소용이라고 하느님을 치우면서까지 그걸 가득히 채우고 부유히 하려고 하나?

죽고 나서야 "아, 주님, 당신의 크신 자비를 몰라뵙고 그 사랑을 볼라 드리고 그 슬픔을 알려고도 하지 않았던 제 삶에 죄송하고, 더 노력해서 기쁘게 해 드리려고 하지 않아서 죄송하고, 희생과 덕행을 최선을 다해 실천하지도 않아서 죄송하고, 더럽고 추잡하게 살아서, 혐오스럽게 해 드려서 죄송합니다" 등등의 말 따위 죽어서는 죽어도 하고 싶지 않아.

살아 있을 때부터 잘해드릴 거야.
이 시간, 신앙으로 살 수 있는 것도 희생하며 살 수 있는 것도
고통을 바칠 수 있는 것도 이 세상에서뿐인, 이 순간, 이 기회, 이 삶, 이 선물.

아아, 사랑이여, 사랑이여! 사랑하나이다, 사랑이여, 사랑합니다!

어떻게 하면 더 당신이 기쁘시겠나이까?
제가 어떻게 하면 더 당신이 기쁘실까요?
사랑이여, 말씀해 보세요. 제게 더 원하시는 건 없으십니까?

사랑이여….

비참한 죄인의 사랑 고백

어쩜 이렇게 애덕도 없고 사랑도 없고 동정심도 없고 연민도 없고 공감할 줄도 모를까.

그래도 하느님을 사랑합니다.

그래, 이렇게 아무 덕도 없는 제가, 이 비참한 제가 주님을 사랑합니다.

이 비참하고 밑바닥인 영혼의, 그럼에도 바치고자 하는 가련한 사랑을 보시고 위로받으십시오, 주님.

때로는 악인들도 할 줄 아는 동정과 위로조차 할 줄 모르는
이 죄인 중의 죄인의 사랑을 보고 위로를 받으소서, 나의 주여!

달이 만든 무지개를 본 날

달도 무지개를 만들 수 있다니 놀랍다.
그래, 정말이지 성모님 같네.

우리 어둠 속의 희망이신 여인이여.

●

달도 참 밝구나.
달은 밤의 태양이야.

구유 위에 누워 계신 성자 아기 예수님

구유 위에 누워 계신 성자 아기 예수님!

최근 ○○○○성당에서 아기 예수님에 대한 기도 촛불이 더 자주 그리고 더 많이 켜지는 것에 대해 몹시 기쁘게 생각하나이다! 많아진 당신의 방문객들을 바라보며 마음이 즐겁습니다.

이것은 어쩐지 제 기도와 바람에 대한 응답 같다는 생각이 듭니다.

처음 이곳에 왔을 때, 칠이 벗겨지고, 때 묻어 방치된 이 아기의 뺨을 손수건으로 닦아주면서, 저는 이곳에서 그토록 놀라운 신비를 품으신 아기 예수님에 대한 신심이 더 활발해지기를 바랐으니까요.

아기 예수님, 오늘은 당신의 성상 앞에 아기 예수님에 대한 생소한 기도 책자 하나가 놓여 있는 걸 보게 되었는데, 그 책자가 참 좋아 보여서 저도 하나 가지고 있으면 좋겠다고 생각했었어요.

요즘은 단순한 기도를 더 좋아하지만, 주님께서도 좋아하시면은 제가 좀 더 잘 묵상하며 기도할 수 있도록 그 책자를 하나 선물해 주시면 좋겠습니다! 감사합니다!

+그 해 성탄, 출처를 알 수 없어 스스로는 구하지 못한 그 기도 책자를 한 자매로부터 선물 받았다. 예수님 찬미!

하느님의 뜻만을

내 생각과 내 원은 언제나 유치할 뿐이니 언제나 하느님의 의지만을 사랑해야지.

나는 아무것도 제대로 판단할 수 없는 불완전 그 자체일 뿐이니 하느님의 뜻과 하느님의 계획만을 신뢰해야지.

내가 사랑한 모두가 나의 것

소화 데레사가 그랬지(정확히는 그녀도 인용한 것이지만).
내가 다른 이들의 덕과 행위, 삶 등을 내 것처럼 사랑하고
심지어 그들보다 더 그것을 기쁘게 여긴다면 그것은 이미 그들의 것이라기보다는 내게 속한 것이라고.
따라서 만일 우리가 어느 성인들의 삶을 내 것처럼 사랑하고 기뻐하며 하느님께 감사하고 찬미드릴 줄 안다면, 그 삶 역시 내 것과 다름없는 것이라고.

그래, 그래서 이제 알겠어요.
내가 구속주회가 될 수는 없어도, 성 제라드 마젤라 오빠의 삶을 내 것처럼 사랑함으로써 나는 구속주회원으로서 성 제라드의 삶도 가지고,
또 내가 예수 고난회에 가입할 수는 없어도, 성 가브리엘 포센티 오빠의 삶을 내 삶처럼 사랑함으로써 나는 예수 고난회로서, 성 가브리엘 오빠의 삶으로도 가지는 거예요.

내 사랑하는 오라버니들의 삶은 다 내 것이니까요!

그리고 내가 소화 데레사의 작은 길을 그토록 사랑한 만큼, 나 역시 가르멜의 작고 위대한 성녀로서의 삶도 가지는 것이 되겠지요.

그렇게 나는 내가 사랑하는 성인들의 삶을 모두 내 것으로 삼고, 예수님을 사랑하고 성모님을 사랑하고 성 요셉을 사랑함으로써 나의 구세주와 내 구세주의 티 없는 어머니와 우리 성가정의 거룩한 보호자의 삶 역시 내 것으로 삼겠습니다.

제2부

희망과 신뢰로서

당신 말고는 없는 것처럼

이토록 신뢰하오니

무아無我의 원

성인의 믿음과 기적

성모님의 침묵

시험한다는 것

사랑의 운명으로

사랑 〉 고통

눈물

하느님의 친구

희망의 어머니

성 미카엘 오라버니

어느 날의 혼잣말

귀양살이

결심

성모님을 통해서

단 한순간도

성모님의 슬픔의 왕국

성가정의 생의 책

물고기 같은 영혼이 되어서

당신과 하나 되기를

성인들에 감탄하며

당신 말고는 없는 것처럼

미칠 듯이 원한다…

나는 가난한 영혼이 되기를 원한다…

진정으로 작고 단순하고 겸손한 자가 되기를 원한다…

세상에 아버지와 나 말고는 아무도 없는 것처럼

서로 바라보고 사랑하길 원한다…

하느님 아버지 말고는 세상에 아무도 없는 것처럼

아버지를 사랑하길 원한다….

나 같은 거, 아무것도 상관없으니까

미칠 듯한 신뢰로 터질 듯한 희망으로

하느님만을 사랑하길 원한다….

아버지의 모든 것을 신뢰하고 싶다.

아버지의 길을 알고 싶다.

아버지를 알고 싶다.

아버지. 당신을 제대로 알아드리고 싶어요.

아버지…. 당신을 섭섭하게 하는 생각과 말과 행위 그 무엇도

한 치도 원하지 않아요.

미칠 듯이 사랑합니다… 당신의 모든 것을 신뢰합니다…

당신의 모든 것을 존중합니다, 내 주님… 주님….

제 모든 것을 다 들은 척도 마시고 당신 뜻대로 저를 다루어 주십시오..

당신이 주시는 모든 순간 안에서 하느님의 뜻을 찬미하고 사랑하나이다….

당신을 찬미합니다. 당신을 흠숭합니다.

당신의 뜻을 무한히, 이제와 영원히, 당신 존재만큼 사랑하고 신뢰합니다…. 당신 존재만큼, 당신이 성모님을 사랑하고 당신이 우리를 아끼시고, 예수님이 성모님을 사랑하는 그만큼, 그 사랑으로 당신을 사랑하고 신뢰합니다, 내 주여…

이토록 신뢰하오니

하느님의 귀를 막고 하느님의 눈을 가리고 싶다.
내가 올리는 내 본성의 욕심에서 나온 기도,
온전히 겸손치 못한 내 원의, 다 듣지 못하고 보지 못하시게….

내 원의, 내 생각 따위 전혀 고려치 마시고
당신 생각대로만 나를 다루어 주시라고 말하고 싶다….

내가 이토록이나 하느님의 뜻을 사랑하는데…
이렇게나 하느님의 활동의 모든 방식을 신뢰하는데….

성모여, 저의 모든 것을 받아 주소서.
제 모든 것을 당신의 망토 안에, 당신의 부드러운 품 안에,
당신의 아름다운 얼굴 안에, 당신의 티 없는 심장 안에 던져 넣고
당신 사랑이라는 피신처 속으로 저 자신을 던져넣나이다.
저의 원의는 언제나 당신이 먼저 받으셔서
진실로 제게 필요한 것만을 예수님께 청해 주십시오.

모든 여인 중에,
가장 거룩하고 가장 티 없고 가장 깨끗하고 가장 아름다우신 어머니,

가장 겸손하시고 가장 위대하시며 하느님께 가장 순명할 줄 아시는 어머니,

하느님의 뜻 그 자체로 살으셨으며
하느님의 뜻을 가장 잘 이해하시고 하느님을 사랑하시는 어머니,
우리 각자에 대한 하느님의 뜻도 당신이 가장 잘 아시고
또 이를 고려하여 저희를 가장 안전하고 완벽하게 이끌어 주실 수 있으시니,
현명하신 어머니, 지혜로우신 어머니,
제 모든 것을 받아 주소서.

무아無我의 원

기적도 원하고 싶지 않다.
차라리 아무 맛 없는 삶을 살고 싶다.
그러나 기적이 없는 삶을 원하고 싶지도 않다.
아무것도 내 뜻대로 원하고 싶지 않다.

애덕.
아무 원도 없고 싶다.
사랑이 알고 싶어서, 내 욕심으로 바라는 건
아무것도 없고 싶다.

말씀과 작은 데레사의 가르침을 행하려는 것에서도
그토록 마음에 무수한 싸움을 해나가는 영혼이면서…

그래도 사랑하고 싶다.
마음이 진정으로 가난하고 싶다.
도대체 이 본성이란 건 얼마나 자기만족을 원하는 거지…
얼마나 나를 채워야 하겠어, 얼마나….

아무것도 없어라.
아무것도 없어라.
아무것도 더 바라지 말고 하느님의 눈동자를 바라보자…

사랑… 내 것 따위는 아무것도 없다.
사랑… 내 존재가 하느님의 손아귀 안에서
녹아들고 스며들어 완전히 바스러지기를 바란다….

없어져라, 나라는 존재…
사랑 안에서 사라져 버려라.
아무것도 남기지 말고
교만의 티끌도 남기지 말고
사랑과 겸손, 희망과 빛이 되어서
하느님 속에서 하느님이 되어라…

나라는 건 이 세상에 존재하지 않는 것처럼,
이 몸과 이 얼굴, 이 생각과 이 독특성이, 이 영혼이,
결국은 나라는 존재라 해도,

그래, 나는 존재하지만,
하느님, 말씀, 인간이 되신 하느님이신 예수,
나라는 사람이 없는 것처럼
하느님의 사랑으로 살자.

조각글

●

Fortitude

●

주님이 본격적으로 주무시기 시작하셨군!

●

주님이 주무시고 계시군!

●

주님은 내 영혼을 주무시는 용도로 쓰시나 보다.

참으로 조용하구나.

성인의 믿음과 기적

성 제라드의 삶을 보면 신기하다.
어떻게 그렇게 아무렇지도 않게 기적을 행하는 거지?
하지만 나는 그가 기적을 행할 수 있었다는 사실 때문이 아니라,
그가 기적을 행할 때 보였던 태도와, 그런 태도로 기적을 행할 만큼의 말도 안 되게 크고 단순한 그 신뢰 때문에 놀란다.

기적을 행할 때, 어째서 아무렇지 않게 자기가 하려는 행동에 주님이 기적을 행하시리라는 것을 알았을까? 오두막에 불이 붙어 그 불을 꺼야 했을 때, 어째서 단순히 십자가, 성호를 긋는 것만으로 불이 꺼질 거라고 확신한 거지? 진짜 신기하다.

난 내가 하려는 일에 하느님 아버지가 왜 기적을 행하셔야 하고
내가 하려는 일이 주님 뜻에 맞는지도 모르겠는데
주님이 나를 기적으로 도우시리라는 것을 어떻게 장담해?
정말 신기해….

아버지가 움직이지 않을 수 없게끔 하는 그 말도 안 되는 미친 사랑을 나도 하고 싶어. 그 미친 신뢰를 나도 드리고 싶어.

나는 C 날을 이후로 이미 황무지를 걷기 시작했지만,
나는 내 생에서 모든 걸 다 경험해 보고 싶어….

데레사처럼 희생하고 사랑하며 사는 단조로운 삶과,

모든 것을 초월한 사랑의 기적을 행하며 사는 놀라운 삶을 다 살아보고 싶어. 아버지는 불가능이 없으시니까 내 삶을 두 군데로 쪼개서 그렇게 해 주실 수도 있을 텐데.

하지만 역시, 작은 길을 걷고자 하는 아이 같은 영혼에게 저런 길을 '바라는' 건 안 될 말이겠지?

그러니 만일 이러한 바람이 주님이 주시는 내 길에 어긋난다면 바라고 싶지 않아.

기적에 관심 두지 마. 교만을 버려. 욕심을 버려. 너는 큰 길을 요구하지 마. 아버지의 뜻 말고는 기적도 부질없으니, 너는 그런 것에 신경 쓰지 말고 네 길을 걸어가.

성모님의 침묵

성모님. 참으로 성모님을 닮고 싶다.
침묵. 정말이지 감미로운 덕행이다.
아, 정말로… 침묵이란 참으로 감미로운 덕행이다….

만일 내게 실천하고 있고 또 더 실천하고 싶은 덕행이 있다면
그것은 바로 침묵일 것이다.

필요하고, 하느님이 원하시고, 하느님께 영광이 되고, 다른 영혼에 도움이 되기 때문에 말하는 것을 제외하면,

더 이상 하느님에 대한 것도 말하고 싶지 않다.

진정으로 침묵한다면
모든 것을 마음 속에 간직하는 것이라고…
성모님처럼….

시험한다는 것

어떻게 설명해야 할지는 모르겠지만,

보통 누구든지 간에 사람이 사람을 시험하는 태도를 보일 때면

나는 어딘가 거북스러운 기분을 느끼게 된다.

특히 성덕聖德에 있어서도 상대의 반응이 궁금해서 시험해 보는 사례들이 성인들의 일화에서도 참 많은데, 그런데 무언가… 좀 별로랄까, 그다지 시험하는 자신에게는 전혀 좋은 일이 아닌 것 같다.

시험 당한 성인들의 훌륭한 겸손의 반응을 통해 감동을 얻게 되는 그런 결과는 참 좋다고 생각하지만, 이상하게도, 뭐랄까, 상대를 시험하는 의도의 그 깊은 면에는 어떤, 그다지 덕스럽지 않은 무언가가 존재하는 것 같다.

호기심. 누군가의, 심지어는 성덕에 대한 호기심이라 할지라도

이건 별로 겸손하지 못한 것 같다. 오히려 교만한 부분이 있고 진중하지 못한 부분이 있다고 여겨진다….

그래, 꼭 자신이 심판석에 앉은 심판자인 양 구는 것처럼 보인다.

자신은 훌륭한 판단의 잣대를 가지고 있다고 여기면서 말이다….

물론 그들의 시험에 참으로 덕스럽게 반응한 성인들의 훌륭한 겸손은 후에 그들의 전기에 자랑스럽게 실리게 되겠지만, 정작 시험

한 본인은 보통 성인의 옆에 등장하는 엑스트라1 정도가 되어버리는 거 아닌가 싶다.

삶에서는 당연히 시험해보아야 하는 것들이 있다.

음식도 상했는지 살펴보기 위해 살짝 찍어먹어 보기도 하고,

사람을 사귈 때에도 조심성을 가지고 판단하기 위해 은근히 시험해야 할 때가 있다.

세상과 관계에 시험은 필요하지만, 늘 자신의 의도를 잘 살펴야 하는 것 같다. 특히 누군가 다른 이를 시험할 때, 그것이 이기적인 호기심에서 온 것은 아닌지, 교만과 악의에서 온 것은 아닌지 말이다. 성경에서도 바리사이들이 예수님을 시험할 때, 늘 그분을 모욕하거나 트집을 잡거나, 위험과 궁지에 몰아넣으려는 불순한 의도를 가지고 있었으니까….

또 만일 나의 영혼에 이득이 되지 않는 일이라면, 설령 그것이 성덕에 대한 것이라 하더라도 왜 나와 상관없는 누군가의 성덕에 지나치게 관심을 가지고 들추어내고 시험해 보려 한단 말인가? 만일 예수님이었다면, "그게 너와 무슨 상관이냐?"라고 하실 일을. [1)]

십자가의 성 요한께서도 형제들 중 누가 성덕이 더 뛰어난지 살피거나 신경 쓰는 것은 부질없는 짓이라 하셨던 것으로, 그분의 책

---

1) 성 베드로가 자신의 죽음에 대한 예고를 받고는(요한 21,18-23) 성 요한이 어떻게 될 지를 물었을 때 "그것이 너와 무슨 상관이냐? 너는 나를 따라라."라고 하신 일처럼.

에서 읽은 기억이 있다. 영혼의 평화와 고요를 간직하고, 죄와 불완전에서 벗어나기 위해서는, 그런 것들에 정신 팔고 상관할 것이 아니라, 아무도 없는 듯이 살아야 한다고….[2)]

그러니 내게 해가 되는 시험을 행하는 것은 정말 불행한 일이다.

사람들 사이에서도 그럴진대, 신과 인간은 어떨까.

건방지게 하느님을 시험하느니, 평생 시험당하는 편이 낫지 않나? 하느님은 우리를 시험하셔도 된다. 그분은 모든 면에서 그러실 자격이 있으신 분이니까.

그러나 인간은 설령 같은 사람에게라도-사제, 장상의 경우에는

---

2) 십자가의 성 요한, 『십자가의 성 요한 소품집』, 대전 까르멜 여자 수도원 옮김, 햇빛출판사, p60-61
"첫째 권고의 인종을 지키기에는 마치 수도원 안에 딴 사람이 아무도 없는 듯이 살아야 합니다. 따라서 수도 단체에 생기는 일이나 수사들 한 사람 한 사람에 관한 것에 말과 생각으로 간섭해서는 안 되고 저들의 장점이나 단점 또는 그 성질 등에 관심을 두어서도 안 됩니다. 비록 세상이 무너진단들, 거기에 정신을 팔거나 상관해서는 안 됩니다. 죽는 이들의 부르짖는 법석에 머리를 돌린 탓으로 소금돌이 된 롯의 아내를 생각하여 영혼의 평화를 보존하기 위해서입니다.
이건 아주 엄중하게 지켜야 하는 것이, 이렇게 하면 많은 죄와 불완전을 벗어나고 영혼의 평화와 고요를 간직하며 하느님과 사람들 앞에 장족의 진보를 거두기 때문입니다. 이 점에 크게 조심해야 합니다. 이것은 아주 중요하니 숱한 수도자들이 이것을 지키지 않았기에 자기 나름대로의 덕행과 신심 행위로 덕을 보기는커녕 줄곧 뒷걸음쳐서 악에서 악으로 굴러떨어졌습니다."

그의 목자로서의 직책과 의무 때문에 때에 따라서는 시험하는 것이 합당하고 그것이 그의 권리가 되겠지만- 시험하기보다는 차라리 모든 것을 견디는 것이 나은 것 같다.

불필요하게, 불순하게 누군가를 시험하는 것은 교만이라고 생각한다. 시험한다, 그것은 사실, 하느님만의 특권인 것 같다.

사랑의 운명으로

혹시라도
내 삶에 하느님 뜻의 운명이 쓰여 있지 않다면
그럼 나는 내 삶을 사랑의 운명으로 그려갈 거야.

아무것도 바라는 것 없이 내 삶을 지켜보고 계시는 하느님이라면
나는 그 삶을 하느님 마음에 드는 삶으로 만들어 나갈 거야.

혹시라도 언젠가,
시련이 오고 암흑이 오고 공허와 허무가 오고,
더 이상 좋은 생각도 떠오르지 않고 전에 알던 모든 거룩한 지혜마저 까마득히 잊어버리게 되더라도

나는 내가 바라던 모든 것을 얻었음에 주님께 감사드릴 거야.

완전한 어둠 속에서도 주님을 사랑하는 것.
감추어진 앎 속에서도 주님을 사랑하는 것.
다른 이들이 겪는 모든 마음의 시련을 나도 모두 겪으면서
다른 이들이 드리지 못했던 신뢰와 사랑을 나는 주님께 드리고 싶다고

언젠가 내 안에서 도저히 더 이상의 사랑도 느낄 수 없고

또 혹시라도 더 이상의 맹목적인 신뢰를 하느님께 드리지 못하고 있다고 느껴지는 때가 온다면

그때 나는 세 가지 태양 중에서
마지막인 희망의 태양을 마음속에 꼭 품고
거룩한 희망의 마리아께 의탁하면서
하느님의 눈동자를 바라보겠노라고….

그리고 마리아의 괴로움처럼 내 영혼과 정신과 마음에 시련을 겪는 날이 오면 그 모든 것을 마리아 님처럼 순명과 사랑으로 행복히 즐거이 견디어 보겠노라고.

전부터 자주 생각하고 바랐으니까요.
세상의 모든 공허는 다 짊어져도 그 안에서 피어나는 사랑을 보여 드리고,
세상 어둠의 더러운 구덩이 속에 빠져 있더라도
신뢰로 찬란히 빛나는 눈으로 아버지께 손 뻗고 희망하고 싶다고.

내 존재 자체가 신뢰가 되고 사랑이 되어서
내가 어디에 있고 어느 때에 있어도
나는 단지 사랑하고 신뢰하기만 할 것으로 생각합니다.
설령 그럴 수 없대도 그러고 싶다고 생각합니다.

어느 생각이 나를 괴롭혀도,
당신을 향한 내 정신의 솜털 하나도 건들지 못할 것입니다.

그러나 만일 제가 답답함에 무언가의 말을 쏟아붓는 날이 온다면
그때 저는 당신의 눈을 가리고 귀를 막을 거예요.
당신은 모든 것을 아시지만 아무것도 모르는 척하시는 분이니까
저도 전능하신 당신의 그러하심을 알면서도 아무것도 모르는 아이처럼 당신을 사랑하겠습니다.

작은 바람

'고통은 우리를 지상에 더 있고 싶게 만든다.'

사랑 때문에 희생하고 고통받는 것도 이 지상에서뿐이니까….
하지만…. 이제는 사랑 때문에 아버지의 곁에 너무나 가고 싶어서
지상에 더 이상 있고 싶지 않고
아무것에도 미련을 느낄 수 없고
이 지상의 무엇에도 관심이 없고
심지어는 다른 사람에 대한 것도 아무 상관 없이
오로지 하느님과 함께 있기 위해 죽고 싶다.

젊어서 죽거나 늙어서 죽거나
다 결국은 하느님의 뜻일 뿐이다…

다만 살고 싶다.
살기 위해서 죽고 싶다.
정말로, 죽음이 내게 다가온다는 것은
하느님 안에서 내가 당신 곁에 날아갈 준비가 되고,
하느님의 뜻이 천국 문을 열 그때가 다가옴을 의미하기에

그날이 속히 오면 좋겠다.

정말이지, 이르거나 늦거나 단지 하느님의 뜻일 뿐이지만,
젊어서 죽든 늙어서 죽든 다 하느님의 뜻이면 그뿐이지만,

나의 이 원의도 만일 주님으로부터 온 것이라면

주님.

'이 꽃이 시들기 전에 나를 따러 와 주세요.'

'푸르고 생기 넘치는 그 순간을 영원으로 심어주세요.
나의 사랑하올 하느님, 나의 비둘기, 나의 영원이여.'

사랑하는 직책

사람들을 보고 그들과 대화하고 있으면 사람이 자기 자신을 버리기란 참 쉽지 않다는 걸 새삼 느낀다.

자기 주장이 틀리거나 지가가 지식이 조금 부족해, 무언갈 잘못 알고 있을 가능성이 있거나, 실제로 잘못 알고 있다는 것이 뭐 그렇게 대수로운 일이라고 기분 나빠하거나 거북스러운 감정을 가지는 것인지 모르겠다. 자기 자신을 뭐라고 생각하는 거야. 그냥 그럴 수도 있는 일을 가지고….

사실은 내가 예전에 이런 이들과 같은 사람이었기 때문에 그걸 잘 아는데, 지금은 주님 안에서 깨달은 바가 있기에 역시 그것이 어떤 상태일지 안다.

이유는 단지 하나일 뿐이다.

자기 자신을 버리지 못하니까….

뭐 그렇게 믿을 만한 구석이 우리에게 있다고 그렇게나 스스로가 가진 지식, 지혜에 애착해서 주님께 드려야 할 믿음과 신뢰를 자기 자신한테 주고, 하느님과 떨어져 있는 것인지 모르겠다.

아니 사실 다 알고 있는데도 답답한 것이다. 자기 자신을 너무 믿는다, 사람들은…. 우리가 도대체 어디가 그렇게 지혜롭고 현명하다고?

자기가 아는 게 언제나 참으로 지혜롭다고 생각한다.

자기가 주장하는 것이 참으로 그에게 도움이 될 것이고,

자기 말대로 따르지 않으면 어리석은 사람이라고 여기면서 동정한다.

차라리 내가 동정해 주고 싶다, 불쌍한 이들이여….

분주히 움직이던 그때의 마르타는 마리아가 자기를 좀 본받고 닮기를 바라지만, 사실상 정말 좋은 몫은 마리아가 다 가지고 제일 좋은 자리와 지혜도 다 마리아가 가지고 있는 것이다.

사실 우리가 갈망할 일은 이리저리 분주하게 옮겨 다니면서-심지어 그것이 하느님을 위한 지향이라고 스스로가 여길지라도- 무슨 활동을 하는 데 있는 게 아니라, 우선 하느님의 얼굴을 바라보고 그분 곁에 앉아서 그분과 서로 사랑하고 위로하고 주고받고 하는 데 있는 것이다. 일은 하느님이 우리에게 뜻하시는 그것만 하면 된다. 그리고 사실은 무엇보다도, 해야할 일이라곤 사랑하는 일밖에 없는 마리아 같은 영혼이 제일 좋은 것이다.

사랑하는 직책.

내가 늘 하고 싶은 것도 이것이다.

언제나 열심히 사랑하는 것 말이다.

그리고 아무도 내게서 이 몫을 빼앗아 가지 못할 것이다.

사랑 〉 고통

나는 사랑이 고통으로밖에 표현될 수 없다고 말하는 건 싫어.
그런 건 정말 싫어.
고통이 싫은 게 아니라, 심지어는 어느 때에 저런 말들이
심지어는 사랑에 불순물이 섞이게 하는 것 같아서 너무 싫어.
특히 그들은 겉으로 보이고 느껴지는 고통에 대해 말하니까.

그러나 그런 것을 떠나서라도,
어째서 '사랑'보다 '고통'을 더 강조하는 거야?

그렇다면 아버지다운 사랑이라는 게 뭔데?
자식다운 사랑이라는 건 뭔데.

사랑이 뭔데.
이 더럽고 죄악이 가득한 세상에서는 결국 모든 것이,
심지어는 '작은 길'마저도 다 고통의 가시밭길이라고 겁주고 싶은 건가?
그러나 태초에 하느님 아버지께서 아담을 창조하셨을 때, 하느님께선 그가 '사랑을 하기를 바랐'을까, '고통을 당하기를 바랐'을까?

이제 뭐 때문에 이렇게 가슴이 답답한지도 모르겠다.

위대한 희생 같은 걸 하고 싶은 게 아냐.

거대한 고통 같은 걸 '받고 싶은' 게 아니라고.

보잘것없고 하찮고 일상적인 것들에서 그냥 사랑하면서 살고 싶어.

기적도 소소하게 그냥 삶 안에서 산들바람처럼 느끼면서 살고 싶어.

거대한 기적들에만 열광하고 몰려다니고

시현자들을 둘러싸고 손대고 밀치고 당기고

하늘 보며 오오오거리고 미친 듯이 부르짖고….

다들 미치광이야. 나는 그런 걸 바라지 않아….

다 뭐가 뭔지 모르겠어.

뭐야. 이건 다 뭔데.

겉으로 드러나는, 그들이 내세울 수 있는 그런 고통의 흔적을 내 앞에 흔들어 대면서

고통으로 경쟁을 하려고 하지 말란 말이야.

눈으로 보이고 거대한 표식이 있는 것들만 가치 있게 여기면서

작고 보잘것없어 보이는 것들을 우습게 여기지 말란 말이야.

그럼 온갖 고문을 다 겪고 목이 잘리고 짐승에 뜯겨 죽은 성인들이, '겉으로는 덜 고문적인 삶'을 살다 평온히 잠들 듯이 죽음을 맞이한 성모님보다 위대하다는 거야?

내면으로 받은 고통의 무게는 잴 수도 없으면서
영혼의 내면의 괴로움은 저울에 달아 재지도 못할 거면서
그 괴로움의 순수함과 기원과 가치를 가릴 능력도 없으면서
인간적인 고통의 크기로 서로의 업적을 다투려 하지 말아.

사랑의 깊이, 사랑의 우위, 순수한 사랑, 고통의 순수함.
모든 건 하느님만이 올바르게 판단할 줄 아시니,
그런 걸로 사람들끼리, 부질없이 우위를 겨루지 말아.

그 어떤 성인도 고통이 커서가 아니라 '사랑이 커서', 그 사랑의 위대함 때문에 성인이 되었으니,
내게 가지신 하느님의 뜻의 결말에 사랑의 십자가를 지고 가는 것, 그것으로 사는 데에 집중하면 되는 거잖아.

찢겨 죽든, 베여 죽든, 삶아 죽든, 상사로 죽든,
그 고통을 신경 쓸 겨를도 없을 정도로 사랑하는 법을 내게 말해 줘. 그 모든 걸 견디게 하고 달콤하게 만들어 버리는 사랑의 놀라움을 알게 해 줘. 그 사랑을 내게 보여 줘.

'내게 힘을 주시는 그리스도 안에서, 모든 것을 할 수 있을' 만큼 사랑할 수 있길 바랄 뿐이야.

눈물

세상의 모든 것이 헛되고 부질없음을 알았어요…

그 어느 것도 제게 아름다움을, 즐거움을 주지 못해요….

주님, 마음만 점점 더 무거워지고 세상이 눈물로밖에 보이질 않네요…. 사랑합니다, 하느님… 당신을 사랑합니다….

하느님의 친구

*당신이 눈물로 얻은 것을 웃음 가운데 잃지 않도록 주의하라.

*어느 누구도 많은 시험과 환난을 거치기 전에는 자신을 하느님의 완전한 친구로 생각할 수 없느니라." (어느 서적에서 읽은 글귀)

내가 이것보다 더한 시련을 겪게 된다 해도
내가 하느님의 완전한 친구라고 여길 수는 없을 거야….
그걸 정하는 건 예수님일 테니까….
이것보다 더한 어둠을 지나간다 해도 그건 언제나 아무것도 아닐 거야… 내 고통 같은 건 아무것도 아니니까….

그러니 내가 아버지를 사랑하기 때문에 그 어떤 걸 견뎌낸다고 해도,
주제넘게 "자, 이제 뭘 주실래요?" 같은 소리 하지 말고
"난 쓸모없고 아무것도 아닌 애예요."하고 말해야겠다.

그냥 주시는 대로 받아야지. 그래도 기대하지 않을 수는 없을 거야. 그분이 당신을 사랑하는 자녀에게 인색한 분일 수가 없을 테니까….

희망의 어머니

희망. 희망은 우리에게 위로를 준다.

아, 그래서였구나.

그래서 우리의 어머니(Our Lady of Hope)께서는

그토록 내게 위로가 되셨던 것이구나.

성 미카엘 오라버니

네, 오라버니.

성 미카엘 당신은 나의 오라버니입니다.

그리고 나는 당신의 천사적 동생이 되고 싶어요.

당신의 이름에 'Saint'라는 단어가 붙어서 참으로 행복합니다.

당신은 겸손과 올곧음으로 교회의 왕자가 되시는 영광을 누리셨으니, 나의 오라버니, 저에게도 사랑과 겸손의 덕을 얻어 주시어 당신처럼 강함과 용맹의 동생이 되게 해 주시면 좋겠습니다.

어느 날의 혼잣말

아침엔 되게 평화 속에서 기쁘고 즐거움을 느꼈지.

지금은 다시 언제나처럼 메마르고 무미건조하지만.

분명 아침에 쓴 내 일기가 주님 마음에 들었던 게 분명해.

그래서 주님이 나를 거룩하게 만드시려고 어두운 밤 속에 두시면서도, 너무 기쁘셔서 절로 나에게 다시 기쁨을 선물해 주신 거지. 하하하.

귀양살이

이 세상에서 이런 고통을 겪는 것은 당연한 일이야.

이곳은 귀양살이 중인 땅이니까.

그러니까 하느님 아버지한테 너무 찡찡대지 말고 견디어 나가야겠다. 하느님이 당신의 잃어버린 양들을 도로 되찾아서 돌아오시는 그때를 기다리면서, 온순하게 인내하면서 이 황무지에서 내 사랑스런 목자 예수님을 기다리고 있어야겠다.

결심

피정의 시작이다. (4-9일)

휴식 시간에 비를 흩뿌리는 어두운 밤하늘을 바라보며 맹세했다.

결코 실망하지 않겠어.
천 번 죽고 만 번 죽고 다시 살아난대도
나는 언제나 하느님을 바라보며 희망할 것이다.
언제나 하느님께 바라고 청하고 희망할 것이다.

그분은 분명히 말씀하셨다.
당신 이름으로 청하는 것은 '무엇이든지' 들어주겠다고.

그러니 나는 희망이 될 거야.
내 존재가 희망 그 자체가 되게 희망하겠어.
모든 현실과 한계를 초월해서 희망하고
안 된다고 한 것도 되게 만들 미친 희망으로
한계를 찢고 부딪혀 보겠다고.

아버지. 그렇게 희망한다 해도
당신께는 분명 넘치는 희망이 아니겠지요.

그러니 제가 어떻게 희망한대도

그것보다 더 넘치는 하느님이신 당신을 믿습니다. 하느님!

성모님을 통해서

정말 모든 것을 성모님을 통해서 바치겠어.
내 숨 하나도, 내 심장박동과 맥박 하나도
다 성모님의 심장을 통해서 바칠 거야.

단 한순간도

아, 나도 통고의 모후의 성 가브리엘처럼, 단 한순간도 그냥 보내지 않고 주님의 어머니의 슬픔과 고통과 기쁨을 묵상함으로써 영광을 드릴 수 있으면 좋겠다. 정말 단 한순간도 소홀히 하지 않고 주님 얼굴을 바라보고, 주님 이름을 찬미하고, 주님 성심을 기쁘게 해 드림으로써 다시 그분 얼굴에 미소를 띄우고 빛나게 해 드리고 싶다!

성모님의 슬픔의 왕국

언젠가 죽고 나면 슬픔의 성모님을 공경한 이들에게는 그들을 위한 특별한 자리가 주어질 것 같다.

성모님의 성심 한 곳에 그 슬픔을 공경한 이들만이 들어갈 수 있는 비밀스러운 특별한 성 같은 곳이 있는데, 그 안에는 다른 정원들에서는 알지 못하는 수많은 새로운 신비와 비밀들이 들어 있는 것이다.

그리고 슬픔의 성모의 아이들만이 그 성에 들어가고
그 보물을 가지고 그 보물을 알아볼 능력이 있을 것이다.

성가정의 생의 책

언젠가 제가 죽어 당신 곁에 가면,
제게 성가정의 생의 책을 한 권 주시겠습니까?

성 요셉의 눈과 마음으로 하느님과 하느님의 어머니의 삶을 바라보고 살고 느끼고 사랑하며,
성모 마리아의 눈과 가슴으로 아기 예수,
영원히 '내 아들'이신 예수를 사랑할 수 있도록,

언제나 예수와 마리아와 요셉이 겪었던
모든 슬픔, 괴로움, 기쁨과 행복을 다시 되새기고 또 보고 또 볼 수 있도록

당신의 특별한 생애가 담긴 책을 한 권 주시기를 바랍니다….

물고기 같은 영혼이 되어서

아, 아버지의 발아래에서
짓밟히는 모래알처럼 저를 밟아 뭉개주십시오….

아아, 당신의 그 거룩하신 눈길에
제 영혼을 사랑으로 불살라 태워 없애주십시오….

아, 하느님의 어머니 마리아의
슬픔의 그 지독한 아름다움의 바다 속에서
세상의 숨에 죽고 거룩한 숨으로 다시 살아나면,
그 아름다움 속 한 마리의 물고기 같은 영혼이 되어서
당신의 아름다운 어머니의 바다 속에서
영원히 헤엄치며 살아가게 해 주십시오….

당신과 하나 되기를

나라는 게 있어야 하겠습니까?

사라지고 싶어요. 나라는 사랑.
사라지고 싶나이다. 나라는 존재…

하느님 안에서
하느님의 사랑 안에서
하느님의 세상 안에서
하느님의 존재 안에서
완전히 사라져 버리고 싶나이다.

손안에서 바스러지는 재처럼,
바람결에 흩날려 가는 민들레 꽃씨처럼,
하느님의 뜻과 하느님의 모든 것 안에서
짓눌리고 바스러지고 깨어지고 뭉개져서
완전히 하느님 안에 녹아 들어서
없어져 버리고 싶나이다…

나의 하느님이여, 존재하는 존재,
사랑 그 자체, 사랑의 존재,
우리 존재의 근원이자 목적이자 운명이여,

아, 이 작고 보잘것없는, 허무 그 자체인 영혼이
당신 안에서, 온전히,
당신과 하나 되기를 바라나이다….

성인들에 감탄하며

소화 데레사는 내가 생각하고 있는 것보다도 훨씬 더 겸손한 게 확실하다. 왜냐하면 그녀는 성인이니까! 알려지지 않은 거룩함이 그녀에게는 더욱 많을 거야.

성 안토니오, 성 알퐁소 리구오리, 성 프란치스코.

도대체가 그들은 얼마나 위대한지,
그들이 깨닫고 실천한 것을 생각하면 데레사의 말처럼 정말 하늘 위의 저 별과 이 땅바닥의 모래알 같은 차이를 느낀다.

그리고 데레사의 훌륭한 가르침은
내 마음에 떠오르는 좋은 지혜와 좋은 깨달음의 수가 많으면 많을수록, 그것이 다 내 덕 때문이라고 착각했다가는 그저 바보가 될 뿐이라는 사실을 알려 준다.

내가 깨달은 건 저 성 알퐁소의 방대한 양의 책들과 가르침에서 고작 몇 줄 정도의 양이라고도 할 수 있을 것이다.
그런데 그것을 다 실천하고 있는 것도 아니므로 나는 겸손해야 하며, 성 알퐁소의 경우 여하간 저 수많은 신비를 깨달았을 뿐만 아니라 행하기까지 했으니 얼마나 성인에 합당하며 어울리냐, 위대하냐 이 말이다.

아, 이 개미 같은 성덕이여!

그래도 나는 내 자신의 성덕이라는 것에 의지하기를 이미 오래전에 포기했으니 참 다행이다. 나도 소화 데레사처럼 오로지 예수님의 공로와 예수님이 친히 내 성덕이 되어 주시기를 바라고 있으니까, 마음이 참 편하다.

아무래도 좋다. 그저 언제나 겸손해야겠다.

그러고 싶다. 교만이 내 안에 자리하려 들면 그때마다 즉시 내 주님이 박살 내 주시면 좋겠다. 그러나 주님한테 교만 때문에 꾸중을 듣는 건 슬프고 가슴 쓰린 일이니까 주님께서 늘 내가 겸손할 수 있도록 다스려 주시기를 빈다.

조각글

●

천사들의 여왕 마리아.

이 칭호는 심오한 깊이를 가지고 있는 것 같다…

●

하느님을 사랑합니다.

아, 어쩜 이렇게 하느님의 일에 소홀하고 부지런하지 못할까요?

그런 저를 불쌍히 여겨 주세요, 아버지….

그리고 언제나 아버지를 사랑합니다.

●

내 무능을 사랑하고

다른 사람들 안의 덕과 그들의 덕행과 공로를 보며 기뻐하자.

●

기도하고 싶다. 하느님을 사랑합니다.

기도하고 싶어. 하느님을 사랑합니다.

기도하고 싶어. 하느님 당신을 사랑하나이다.

●

야훼.

구약 시대에 이스라엘인들이 하느님을 부르던 고유 명사.
'나는 있는 나다'라는 뜻.

●

하느님의 이름.
아, 신비로운 하느님의 이름!

●

별을 머리에 이고
달을 밟고
태양을 품은 여인.

아, 마리아! 마리아여!

세상에서 가장 거룩한 여인이여!

천사들마저도 감복한 겸손과 순종과 위대함의 티 없는 여인이여!
만인의 여왕, 천사들의 여왕, 하느님의 어머니, 천상의 여왕님!

●

그토록 죽음을 원해도
아버지가 내 징징대는 소리 듣지 못하도록
어머니 품 안에서만 폭 안긴 채 징징대고 청해야겠다.

●

레지나 안젤로룸! Regina Angelorum!

●

이젠 아무래도 좋아.

아무래도 상관없어.

하느님, 사랑합니다.

당신은 참으로 나의 사랑스런 하느님입니다.

기도합니다.

당신을 사랑합니다.

영원히 은애합니다.

제3부

생의 의미

길을 주시는 하느님

모두의 행복

작은 愛의 노래 - 데레사에 영감을 받아

사랑하여, 삶

내 스스로를 다독이면서

바라고 향해야 할 것

모든 것은 하느님의 영광

A, Ω

많은 신심 서적

예수가 우리의 구원자라는 것의 의미

죽음

하느님, 성자 예수, 구원, 사랑

사랑에 맡기고 자유롭게

밀알 한 알

죽음에 대한 생각

사랑으로 살고 있는가

오! 사랑해요

길을 주시는 하느님

거룩한 얼굴 신심을 제게 주신 하느님은 찬미 받으소서!

아버지, 저는 많은 것을 바라지만 아무것도 원하고 싶지 않고 하고 싶지 않은 기분 또한 느껴요.

제가 어떡하면 좋을까요? 아버지. 좋은 생각 좀 알려주시면 안 돼요? 아버지를 사랑해요. 아버지의 기쁜 뜻이 이루어지세요.
아버지 당신을 사랑해요.
당신이 참으로 흡족해할 그런 길을 걷게 해 주세요….

모두의 행복

아아, 모두가 행복했으면 좋겠어.
정말 모두가 행복했으면 좋겠어.
진정한 사랑 안에서 올곧게 살면서
정말로 모두가 바른 삶 안에서 행복하기를 바라.

●

아기 예수님, 나의 사랑이 되어 주세요.

작은 愛의 노래 - 데레사에 영감을 받아

아버지, 제가 원하는 건 당신이에요.

제가 원하는 것은 진정한 사랑입니다.

제가 원하는 것, 그것은 천국이나 천국의 영광이라 할지라도 아닙니다. 당신이 만드신 '피조물'에 홀리고 싶지는 않아요, 나의 주님.

천국의 모든 것들도 결국은 당신이 아니라 당신의 창조물이겠지요.. 그러니 하느님만을 원합니다. 저는 참으로 부족하지만, 사랑을 원합니다. 사랑 이외의 모든 것들은-심지어 천국이라 할지라도-결국 제 마음을 피로하게 하고, 절망하게 하고, 슬프게 만들어요.

저는 작고도 빈약한 심장을 가지고 있어서 무언가 하나를 원하게 되면 다른 것은 곧 잊어버리고 맙니다…. 그러니 하느님, 저는 사랑만을 원합니다. 하느님, 나의 모든 원의가 하느님 안에서 당신의 올곧음의 성의에 따라 흐르는 해가 되게 해 주십시오. 아아… 당신 말고는 그 무슨 선하고 고귀한 것이라 할지라도 더 이상 바라지 않을 거예요….

사랑하여, 삶

나는 사랑하는 방법을 알려주는 삶들을 보고 싶어.

우리 아기 예수의 데레사처럼, 마르셀 반처럼,

나처럼 작고 연약한 영혼들이 하느님을 기쁘게 해 드린 방법들을 살펴보고 힘을 내고 싶어.

다른 위대한 덕들 따위 어차피 내 것이 될 수 없으니까

괜히 그런 것들과 관련된 책이나 이야기들에 너무 매몰해서 시간을 낭비하진 않겠어.

오로지 사랑하기 위한 시간을 살고, 사랑하기 위해 필요한 책들만을 읽고 싶어.

나는 하느님을 영원히 사랑할 거야.

그리고 성인 만드시는 건 내가 하느님을 사랑하면

주님께서 절로 당신 손으로 해 주실 일이야.

성녀가 되기를 바란다 해도, 성녀가 되기 위해 살지는 않겠어.

오로지 사랑하고 싶으니까, 사랑하면서 살고 싶으니까,

단지 그것으로 족해.

하느님을 사랑하여, 살 거야.

내 스스로를 다독이면서

그래, 만일 내가 안나 가타리나 엔메릭 같은 삶을 살기로 선택받은 영혼이었다면, 내게는 그것을 살아 나갈 모든 좋은 덕들과 기회들이 주어졌었겠지.

그러나, 봐, 내 삶은 나만이 걷고 있는 지금 이 순간들이야.

이건 다른 누구의 삶도 아니고, 아버지로부터 내게 주어진 나만의 삶인 거야.

그 누구의 삶이든, '자기 몫이 가장 아름다워'.

나는 나의 몫이 진실로 아름답다고 생각해. 정말로 마음에 들어.

누가 만일 다른 이의 삶을 바꿔치기해서 준다고 하더라도 단호히 거절하겠어.

지금 이 순간 나에게 주시는 주님의 뜻과, 현순간에도 완전하고 충만한 주님의 은총을 신뢰해.

하느님께서 하늘나라에 큰 느티나무도 하나 심고 싶어 하시고, 장미도 심고, 해바라기도 심고, 야생화도 심고, 작고 귀여운 민들레도 심고 강아지풀도 심으시려는데, 강아지풀이 느티나무가 되고 싶어 한다고 하면 어찌 되겠어?

하느님의 세상 안에서 아무것도 부족한 것은 없어.

그러니까 다른 성인들과 비교할 필요도 없어.
나는 내 삶 안에서 사랑스런 하느님의 친구가 되겠어.

지금 주어진 곳에 있는 하느님의 뜻을 신뢰해.
이 삶 안에서 아버지와 사랑하면서
아버지와 친구하고
아버지와 웃으면서 헤쳐 나가면서
그렇게 살 거야.

바라고 향해야 할 것

그래 맞아. 우리에게는 한없이 부요하고 지혜롭고 풍요롭고 위대하신 아버지가 있고, 그 아버지의 모든 것이 이미 자녀인 우리의 것이라면, 그것을 애써 원할 필요도 어디에 있겠어?

눈을 돌려 그것을 탐하는 눈길을 보낼 필요조차 없잖아.

아버지의 것이라면 어차피 다 자녀인 우리 거니까.

그러니까 우리 눈이 사랑 가득한 마음으로 바라보고 향할 것은 바로 우리 아버지의 얼굴이라는 거야. 우리 아버지!

사랑스런 우리 아버지라는 거지!

모든 것은 하느님의 영광

아무것도 가지지 않은 채 하느님께 가자.

내가 원하던 모든 덕과 기적으로 가득한 삶을 살았던 성인들을, 그들 자체로 사랑하자.

그 삶이 내 삶이 아니라 그 언니, 그 오빠의 삶이었음에 감사드리고, 그 안에서 드러난 하느님의 자비와 위대함을 그저 찬양하면서 살자.

애덕의 들숨 날숨을 위해서, 모든 성인들을 사랑하자.
그러나 그들을 통해 드러난 위대함과 모든 덕을 그들의 것으로 생각하지 말고, 그저 아무것도 아닌 피조물을 그렇게나 영광스럽게 만드셨던 능력 있는 하느님만을 찬미하자.

모든 덕, 내가 다른 모든 영혼과 그들의 삶에서 발견하는 모든 덕과 아름다움은 그들의 것이 아니라 하느님의 것임을 인정하자.

그렇기 때문에 그 어떤 성인의 위대함에도
짓눌릴 필요가 없다. 좌절할 필요가 없다.

언제나 잊지 말자.

모든 것은 하느님의 활동이었고

찬미 받을 것은 하느님의 손, 하느님의 사랑뿐이시다는 것을.

A, *Ω*

알파요, 오메가.

하느님은 참으로 신기한 분이세요.

사실 하느님, 당신께서는 "나는 시작이요, 끝이다"라고 말씀하셨지만, 당신께는 시작도 없고 끝도 없지 않아요? 당신은 모든 것을 초월해서 계시니까요.

'시작'과 '끝'이라는 것은 무한의 손에 의해 창조된
유한한 존재에게만 해당하는 개념인 것을….

그러나 주님, 당신께서는 '우리'의 시작과 끝이 되어 주셨으니,
바로 당신 손에 의해 우리 존재가 생명을 얻어 살기 시작했고,
이제 우리의 끝은 당신과 함께하는 '무한', 즉 영원이겠지요.

우리의 알파요, 오메가시여,
당신을 사랑하나이다.

하느님, 하느님.
당신을 사랑합니다….

많은 신심 서적

아버지, 어떡하죠?
저 모든 책들이 다 좋아보여요.
당신의 예수님과 성모님을 알기 위해
저걸 다 읽어봐야 할 것 같아요….

하지만 아버지, 나는 많이 읽고 싶은 게 아니라
많이 사랑하고 싶어요.

그러니 부탁드려요.
당신의 뜻 안에서 필요한 것은 읽고 익히더라도,
이 생에서 남은 시간 동안
제가 '많이 읽도록'이 아니라
'많이 사랑하도록' 이끌어 주세요.

예수가 우리의 구원자라는 것의 의미

"우리를 닮은 존재를 만들자"3)

"너희는 내 벗이자 내 자녀들이다"

'나 말한 바 내 뒤에 오실 자 나보다 먼저 계신 고로 나에서 초월하신 자니라'4)
(우리는 하느님의 모상대로 창조되었다. 그러므로 예수께서는 요한 성인 뒤에 오셨지만 그전에 계셨던 분이므로 우리는 그분의 자녀이고 그분을 닮도록 만들어졌다)

성부 성자 성령
말씀은 하느님이셨다
말씀이 육신을 취하시어-
하느님이 인간의 육신을 취하셨다
성육신-성자

아버지를 즐겁게 해 드리고 싶다고 생각하던 중, 떠오른 생각…

---

3) "Let us make man to our image and likeness"(Genesis 1:26 참고)
4) "This was he of whom I spoke: He that shall come after me, is preferred before me: because he was before me."(John 1:15), 복음서를 최초로 번역하신 한기근 바오로 신부의 번역본 버전〈신약성서〉(요왕 1:15) 참고

아버지의 즐거워하시는 모습…

그렇다. 모든 것은 '예수'를 통하지 않고서는 아버지께로, 아버지 하느님께로 갈 수 없다.

왜냐하면 예수는 하느님이시니까.

성육신, 예수는 바로 하느님이 인간에게 완전한 유대관계를 형성해 주시기 위해, 즉 우리를 구원하시고 우리를 진정한 당신 가족으로 받아들여 주시기 위해 취하신 모습.

즉 예수는 하느님이시고, 예수는 하느님의 뜻이고, 예수는 하느님의 완전한 사랑의 의지이며, 예수는 인간에게 주어진 진리 그 자체이고, 예수는 우리를 유일하게 영원히 살게 할 생명이다.

예수는 우리의 구원 그 자체이시다.

예수. 예수는 온전히 인간의 구원을 위해 하느님이 취하신 가장 완전한 모습이다.

그러니까, 인간인 우리가 하느님과의 가족, 즉 하느님 아버지와의 관계를 회복하고 친밀히 하려면 예수를 통하지 않고는 결코, 절대로 불가능한 것이다.

예수는 모든 것이다.

예수는 온전히 사랑할 그 대상이야.

오, 어째서 이제야 깊이 느끼는 것일까!

그렇다. 예수를 통하지 않고는 결코 구원될 수 없으니, 예수가 바로 인류의 구원이시기 때문이다.

예수께서 이 지상에 오시고,

예수께서 십자가 위에서 돌아가신 후 '인류의 죽음'을 쳐 이기시고 '하늘 문을 여시기 전'까지는

그 이전의 그 어떤 선조들도 아버지의 나라에 들어갈 수 없었다.

그 아무리 훌륭하고 의로운 예언자와 의인이라 할지라도 그들은 아버지의 하늘나라에 갈 수 없었어.

하늘나라는 상속재산이고, 이 상속재산이라는 것은 예수의 이름을 믿는 '인간'에게만 주어지는 거야. 예수의 이름과 예수의 (특히 마지막 수난의) 피를 받아들이지 않는 영혼은 결코 하느님 아버지를 뵈올 수 없다. 결코, 결코!

(아아, 그래서 Circumcision:예수 할례 날이 중요 축일 중 하나인 거구나. 그날이 바로 예수께서 첫 번째 피를 흘리시고, 마리아와 요셉의 입을 통해 당신의 이름을 공식적으로 세상에 드러낸 날이었으니까…. 미쳤다, 너무 멋있다!)

예수를 통하지 않고는 결코 아버지를 뵈올 수 없다.

예수를 통하지 않는다는 것은 하느님이 친히 우리에게 계시하신 진리를 받아들이지 않는다는 것이고, 아버지께서 '인류'를 위해 (인류가 당신 곁으로 올 수 있도록) 닦으신 길을 따르지 않겠다는 의미이고, 아버지께서 예수를 통해 우리에게 보여주시는 '아버지의 자녀로서 본받아야 할 모범'을 보지 않겠다는 것이고,

태초부터 "우리와 닮은 존재를 만들자"고 하셨던 하느님, 그분이 드디어 육신을 통해 당신을 드러내시고 우리가 알아볼 수 있게 하시어 진정으로 당신과 우리가 가족이 되게 해 주신 그 신비,

제2위이신 성자께서 이 신비로서 취하신 '인성'을 믿지 않겠다는 것이니까….

그러나 하느님이시자 사람이신 성자 없이는, 즉 그분의 신성과 더불어 '인성' 없이는, 우리는 하느님과 가족이 될 수 없고 하느님의 자녀가 될 수 없고 하느님의 나라에 갈 수 없고 하느님 아버지를 뵐 수 없는 거야.

그런데 이 인성!

특히 육신, 오감, 마음(심장), 정신,

이 모든 것을 담은 채 예수님의 '인성'이 선명히 드러나는 것은

바로 《얼굴》이다.

예수께서 직접 당신 입으로 "나의 흠숭할 얼굴인 나의 보배로운

인성My precious Humanity which is My adorable Face"이라고 말씀하신 그 얼굴이 바로 예수님의 그 모든 구원의 역사, 구원의 신비, 인류 구원의 모든 것을 담아낸다.

아, 이건 정말 어마어마한 사실이다.
이건 진정 어마어마한 진실이다.

거룩한 얼굴에 대한 신심이 왜 모든 신심을 포괄하는지, 왜 신성한 사랑, 신성한 자비, 예수 성심, 그리고 신성한 하느님의 뜻에 대한 신심을 다 포괄하고 있다고 말하는지를 이제야 좀 더 알 것 같다.

죽음

소화 데레사가 죽음 후에 대해 생각하며 했던 말을 곰곰이 생각하다가(원래는 아시시의 성 프란치스코의 말이었는지도 모르겠다), 그녀가 한 말의 참으로 유익하고 값진 의미를 알게 되었다.

"내가 죽으면 내 장례에 대해 아무 말도 하지 않겠어요.

내 몸을 오른쪽에 두든 왼쪽에 두든 상관하지 않겠어요.

심지어 누가 내 몸 근처에 불을 놓는다 해도 나는 아무 말도 하지 않을 거예요. 이 생각이 얼마나 나를 자유롭게 하는지요!"[5)]

아, 그런 것이구나.

나에게도 이 생각이 참 필요한 것이다.

나도 내가 죽으면, 나의 것들이 어떻게 처리되든 상관하지 않겠다. 천국에서, 지상에 두고 온 것들에 뒤돌아보지도 않을 거다. 내가 남긴 여러 물건을 어떻게 처분하든, 내가 쓴 글들을 읽거나 말

---

5) 성면의 즈느비에브 수녀, 『권고와 추억』, 대전 가르멜 수녀원 옮김, 가톨릭 출판사, p223. 위의 기록에서는 기억에 의존하여 적은 것으로, 정확히는 다음과 같다.
"내가 죽으면-'시체'가 되면-침묵을 지키고 어떠한 충고도 주지 않겠어요. 나를 오른편에 놓든 왼편에 놓든 돕지 않을 거예요. 어떤 이들은 나를 이 편에 놓는 것이 더 좋다고 말하고, 또 다른 이들은 내 옆에 불을 놓기까지 한다 하더라도 나는 아무 말 않겠어요. 이런 생각은 우리 마음을 어지럽게 하는 하찮은 것들과 우리가 상관할 필요가 없는 모든 것에서 이탈하는 데에 얼마나 도움을 주는지요!"

거나 아무 말도 하지 않을 것이다.

나는 아무것도 신경 쓰지 않고 아버지 곁으로 갈 것이다.

아버지는 만사를 참으로 잘 처리해 주실 테니 내 뒷일은 모두 하느님 알아서 하시라고 아버지의 섭리 안에 다 맡겨두고 홀가분하게 가겠다.

『…이런 생각은 우리 마음을 어지럽게 하는 하찮은 것들과 우리가 상관할 필요가 없는 모든 것에서 이탈하는 데에 얼마나 도움을 주는지요!』

또한 이 말은 죽음의 때뿐만이 아닌, 지금에도 많은 도움이 되는 말 같다. 데레사의 의도도 그러한 것일 테고.

자기 이탈이라는 것은 이 세상에서 살아가면서도 이미 죽기 시작하는 것이니까.

그러니 내게 불필요하게 분심을 일으키는 모든 것들, 내 의무도 아닌 '내가 상관할 필요가 없는 모든 것'들에서 마음을 정리하는 것이 늘 수련되어야 하겠다.

하느님, 성자 예수, 구원, 사랑

예수가 바로 구원의 문이었고 구원의 바위였고 구원 그 자체였다.

-

예수의 존재는 우리를 구원하고자 하시는 하느님의 사랑의 완전한 증거이다.

-

예수는 사랑의 육화 그 자체이다.

사랑을 알고 싶다면 예수를 찾아가면 된다.
사랑을 알고 싶다면 예수를 보면 된다.

말씀은 하느님이셨다.
그리하여 하느님께서는 육신을 취하여 이 지상에 내려오셨고,
그렇게 우리들 사이에 거처하시어 우리와 함께 살으셨는데,
삼위의 하느님 중 육신을 취하신 위는 제2위이신 성자셨다.

사랑에 맡기고 자유롭게

'곧'이라는 게 언제일까?

하지만 마음이 가난하기 위해서 하루하루를 언제나처럼 살아가야겠다.

급작스러워하지도 말고, 당황하지도 말고, 그저 사랑하올 분을 언제나 사랑하면서 살아야지.

약속했잖아? 나 자신에게.

내 마지막 날까지도 나는 사랑만 하며 살 거라고.

감상적으로 변한 것 같지만

또 한편으로는 어두운 구름에 싸인 것 같기도 했지만,

내가 뭐에 둘러싸여 있건 나는 '아무것도 아니'니까,

신경 쓰지 말아야겠다.

내가 죽기 전에 하고 싶은 일들,

내가 사랑하는 이들,

돕고 싶은 이들을 위해 말해두고 싶고 남겨두고 싶은 것조차도,

그날이 온다면 섭리에 맡기고, 지체하지 말고, 그냥 다 아버지 알아서 하시라고,

아버지가 손수 하고 싶어 하시는 일을 내가 갈취하지는 않겠다고

말하며 나 스스로는 다 포기하고 탈탈 털고 나아가도록 하자. 그러면 분명히 죽어서 내가 할 수 있을 일들이 훨씬 더 많아질 거야.

내가 부족해서, 지혜롭지 못해서, 제대로 된 판단을 전혀 하지 못할 수도 있어.

하지만 그래도 괜찮아. 나는 그분을 신뢰하니까.

내 모든 것을 올바르게 만들어 주시고
모두 바르게 베풀어 주시는 하느님을 신뢰하고,
내 모든 것을 정화되도록 도와주시는 성모님, 나의 어머니를 신뢰하니까.

밀알 한 알

그 때 그 영혼의 이야기.

"희생제물이라는 건 어쩌면 '이런 것'이구나, 하고 요즘 느껴요.

정말로 죽음의 통보를 받는 것은
저 멀리서 언제 올지 모르는, 단지 어둠 같은 미지의 죽음을 대하는 것과는 완전히 달라요.

이전엔 하느님을 사랑하는 사람이라면 죽음의 통보를 받으면 아무것도 거리낄 것 없이 단지 즐겁고 기쁘기만 할 줄 알았어요.

그런데 생각보다도 훨씬 슬프고 가슴 아픈 일이었어요.
눈물짓는 일이었어요.

저는 전에 가브리엘 성인께서 이른 죽음의 은총을 청했을 때, 왜 '그 희생'을 하느님께서 받아들이셨다'라고 표현되어 있었던 것인지 이해하지 못했었어요.
그러나 이제는 알아요. 자신이 사랑하는 가족들을 두고 먼저 떠나야 하는 것은 정말이지 큰 희생이에요. 그들이 겪어야 할 슬픔과 눈물을 알면서도 떠나야 하는 것은 정말로 큰 희생이에요.

예수께서는 어째서 모든 인간의 아픔을 겪으셨고, 이해하실 수 있다고 말할 수 있는 것인지를 깨닫게 되었어요.

예수님은 하느님의 뜻을 위해서, 당신의 지극히 사랑하는 성 요셉을 먼저 떠나보내셔야 했어요.
그분은 거룩하신 아버지의 뜻 때문에 인간으로서, 특히 사랑하는 이를 잃는 아픔을 아셔야만 했던 거예요. 그래서 예수는 인간으로서 (가족을) 사랑을 잃는 아픔을 알고 계세요.

그리고 가장 거룩한 하느님의 구원 사업을 완수하시기 위해서, 그 누구보다 사랑하시는 당신의 어머니를 두고 먼저 떠나셔야 했어요.
어머니께서 겪으실 모든 비참한 눈물과 칼에 꿰찔리는 슬픔과 마음과 영혼의 고통을 아시면서도 그분을 십자가 아래 내버려 두고 먼저 죽음을 맞이하셔야만 했던 거예요.

그분은 사랑을 떠나보내는 아픔, 사랑을 떠나야 하는 아픔을 다 알고 계세요. 너무나도 잘 알고 계시는 거예요. 그런 분이 눈물짓고 혼란스러워하는 이에게 말씀하시는 거예요.

“딸아, 한 알의 밀알이 땅에 떨어져 죽으면, 많은 열매를 맺을 것이다….”하고.

그래요, 나의 하느님.
그렇기 때문에 나는 당신의 뜻이 하나도 빠짐없이 제게 이루어 지시라고 청합니다.

좋습니다, 사랑하는 나의 하느님.
내 가족과 이 세상에 비로소 많은 열매를 내기 위한
거름과 씨앗이 되기 위해서

먼저 가족들을 떠나야 하는 쓰라림과 아픔을
성 요셉과 당신의 공로와 합쳐서 바치며
당신의 뜻을 이루기 위해 죽음을 원합니다.

온전한 위탁과 신뢰와 확신과 평화로 가득 찬 희망을 가지고
죽고자 하나이다.

나의 하느님이여, 나의 사랑. 나의 첫사랑. 그리고 마지막 사랑.

나의 영원할 사랑.

하느님만을 사랑하고 당신의 지극히 선하신 뜻을 이루기 위해
이 세상에 태어나고 살았으니

이제 당신의 뜻을 완전히 완수하기 위해서 죽겠습니다,
지극히 사랑하올 나의 사랑이시여."

죽음에 대한 생각

"내가 진실로 진실로 너희에게 말하니, 밀알 하나가 땅에 떨어져 죽지 않으면 한 알 혼자 남지만, 떨어져 죽으면 많은 열매를 맺는다."

그래. 언젠가는 나도 죽을 것이다.
그러나 그날이 오늘일까 내일일까 생각하기 전에,
나는 죽음을 위한 준비를 해야 하는 것 아닌가?

무언가 나는 해야 하는 것이 아닌가?
보잘것없더라도 선행하고 희생하고 사랑하고 노력하면서
그렇게 모아들인 꽃송이들로, 나를 데려가려고 오실 거룩한 도둑을 위한 선물이라도 하나 마련해야 하는 것 아닐까?

요즘 정말 보잘것없이 살고 있는 것 같다.
노력하고 있다. 그래도 난 참으로 보잘것없구나.
그래도 노력하고 있다. 사랑하고 있다.

언제나 잊지는 말아야겠다.
잊지 말아야 한다. 내가 그 어떤 행동을 더 하고
훌륭한 희생을 어쩌다 한 번 실천하였다 하더라도

나는 아무것도 아니며
언제나 완벽히 준비할 수는 없는 것이라고.

내가 이렇게 참으로 거룩하구나-하고 으쓱해 하면서
얼른 나를 안 데려가 주시느냐고 혐오스러운 짓하지 말고,

인내하면서 얌전하게 기다리고 있어라.

언젠가는 분명 그분이 나를 데리러 오실 것이다.
'곧'이라는 것이 일 년인지 삼 년인지 십 년인지 한 달인지
혹은 바로 내일인지 그런 것은 아무것도 모르고 또 알 수도 없다.

성 제라드나 성 요셉 쿠페르티노 같이, 혹은 어느 약속으로 인해서 하느님으로부터 자신의 죽음의 날을 정확히 알림 받는 은총을 받은 이들이 아니라면, 그건 불가능하다.

그리고 성경에서 그분이 그분의 오심을 도둑에 비유하신 것과 같이, 예상도 못 할 어느 시기에 정말로 훌쩍 오실지도 모르는 것이다.

그저 인내해라.
인내해라.

인내해라.

정말이지 나는 그렇게 현명하지 않아서
어떻게 준비해야 할지 모르겠다.

하지만 언제나 이 부족함을 받아들이면서
이 부족함 속에서 노력하고 사랑하고 하루하루 영원에 나아갈 것이다.

사랑으로 살고 있는가

사랑에서 나오지 않는 모든 행동에 혐오감을 느낀다.
사랑이 아닌 의도에서 나오는 모든 것이 너무도 추하다.
그러나 다른 이들의 행동들에서 그런 것을 발견하면서
나는 정말로 사랑으로 살고 있는가?

나는 겸손으로 살고 있는가?

겸손.

아버지, 나 정말 겸손하고 싶어요.
아버지. 정말이지 당신은 당신 자녀들이라는 존재들한테서 너무나도 많은 혐오감을 느끼셔야만 했어요.

당신의 가시관.
우리들이 드린 가시관….
아, 아버지. 실망하지 않을 거예요.

사랑으로 살게 해 주세요.
사랑으로 행하게 해 주세요.
겸손으로 대해 드리게 해 주세요.
나는 나를 모르지만 아버지는 아세요. 나를 이끌어 주세요.

성모님을 사랑해요. 이제 아프게 해 드리지 않을 거예요.

아버지. 내 인간적인 의지를 모두 버리고 싶어요.
당신께 못마땅한 모든 것을 바꿔 주세요.

아, 당신은 진정 우리를 사랑하는 고통 받는 예수 그리스도이십니다. 너무도 고통받습니다.

아, 정말이지 사랑이 견디어 내는 모든 추함과 혐오감, 그 인내에 경외감을 느낍니다, 나의 주님.

아버지를 사랑합니다. 이 말이 티끌 없는 진실이 되게 해 주세요.
아버지를 사랑합니다. 이 말이 티끌 없는 진실이 되게 해 주세요.
아버지를 사랑합니다.

아버지를 사랑하나이다. 내 주여.

오! 사랑해요

정말이지 나는 하느님을 사랑해-

나는 하느님을 사랑해-

오, 나는 하느님을 사랑해!

●

아, 하느님! 나의 하느님! 사랑합니다.

아, 이 얼마나 축복받은 영혼인가… 내 영혼아, 너는 참으로 축복받았으니 하느님을 찬미하자.

하느님의 이름을 노래하자.

●

어쩌지? 신기할 정도로 폼맹의 성모님께

사랑에 빠져버린 것 같아!

- 3권에 계속